JOHANN SE[illegible]ASTIAN BACH

CA[illegible]

Weinen, Klagen, Sor[illegible]
Weeping, crying, sorrowing, [illegible]
(Dominica Jubilate)
for 3 Solo Voices, Chorus and Chamber Orchestra
für 3 Solostimmen, Chor und Kammerorchester
BWV 12

Edited by / Herausgegeben von
Paul Horn

Ernst Eulenburg Ltd
London · Mainz · Madrid · New York · Paris · Tokyo · Toronto · Zürich

J. S. BACH, CANTATA No. 12

The Cantata "Weinen, Klagen" dates most probably from Bach's first Leipzig period. Phil. Spitta (J. S. Bach, II, 234) places the year of its composition at 1724 but is undecided whether it is based on a still earlier work from the Weimar days, or not. The solo voices certainly do not attain the sustained lofty flights which characterize the later Arias of Bach and certain peculiarities of style would seem to indicate some connection with his earlier compositions. The librettist is unknown but was probably Solomon Frandt, whom Bach favoured in Weimar.

The Gospel for the third Sunday after Easter contains one of the farewell addresses of Jesus to his disciples. (St. John 16, 16, and following.) The librettist starts at Verse 20 with the words: "Ihr aber werdet traurig sein, doch eure Traurigkeit soll in Freude verkehret werden", and the music of the Cantata depicts the gradual change from a state of deep dejection to that of quiet composure. The instrumental Introduction, with its wealth of tone in the divided Violins, is intended to be a direct prologue to the chorus which follows. Accompanied by the incessant sighing of the Violins the Oboe gives out a plaintive theme, the restless quality of which, in the extreme range of the instrument, depicts the sufferings of a troubled spirit. The Chorus maintains the same mood, somewhat calmer though no less insistent. As there were twelve disciples of Christ, the downward chromatic figure in the bass occurs twelve times, while to the same number the voices repeat their long-drawn sobbing wail. The strings are of secondary importance here and are used for rhythmic purposes only. This movement may be taken as a preliminary study for the "Crucifixus" of the B minor Mass, but the latter lacks the animated passage added in the Cantata on the words, „Die das Zeichen Jesu tragen". As the orchestra is silent, this passage and similar ones should be sung by solo singers thus increasing the effect on the re-entry of the Chorus.

In the short Recitative No. 2, the ascending scale of C mayor in the 1st Violine is to be regarded as a symbol of self-elevation from the depths of sorrow to brighter spheres, as expressed by the voice part itself in the last few bars. The Alto Aria No. 3 re-introduces the Oboe now more confident in character symbolical of cross and crown. The voice declaims the words in irregular musical figures not so much with great depth of feeling as with a certain fanatic zeal. The rhythmic theme of the beginning is kept going through-out the movement in a mood of strife and struggle.

It is probable that the sermon originally followed this Alto Aria, and we may imagine that the Gospel closed with exhortation to the congregation: "So folget Christo nach." The librettist took this idea for the Bass Aria No. 5 expressing the desire of those present to remain true disciples of Christ. Bach commences this portion of the work in a strong and steady manner in the major key. The ascending theme treated in canon gives the natural idea of "following", but it is really evolved from the first line of the concluding Chorale, "Was Gott tut, das ist wohlgetan". The text here is hasty and inadequate, but Bach does not fail to lay musical stress on certain words of importance, for instance, the rest on the word "Wohl" with its hovering accompaniment, the music to the word "Ungemach" the lively "Leben" contrasted with the weary "Erblassen", and the musical description of "Küsse" in the second part. Nor should the masterly touch of repeating the canonical "following" motif at the words "Sein Kreuz umfassen" be forgotten; the disciples shall even suffer martyrdom and death.

The Trumpet lends brilliance to the Tenor Aria No. 6. Soft lulling figures on the organ portray the sprit of Christian blessedness, and the solo voice asserts that perfect bliss on earth, though sought and desired, can never be attained. But over all stands the form of Christ, beckoning, giving comfort and strength. The Trumpet gives out the solemn Chorale "Jesu meine Freude" depicting the sorrowful plight of the sinner wavering between uncertainty and hope seen in the light of spiritual transfiguration.

The last verse of Samuel Rodigasts' Song of Comfort brings the Cantata to a peaceful end.

The present edition is derived from the first publication of the work in the second volume of the great edition of 1853. A recent comparison with the original autograph score and parts to be found in the Prussian State Library in Berlin has necessitated the following corrections.

The original consists of the autograph score, the four voice parts (partly in autograph) and an un-figured Continuo part in G minor.

No. 1. Bar 7.— D flat in the Oboe instead of D, for the last fourth semi-quaver; the figuring of the last quarter of the bar is the addition of the editor M. H.
Bar 8: D instead of C for the 8 semi-quavers in the 2nd Violins. On the 3rd crotchet of the Continuo part Bach puts an 8 over the 6.
Bars 12 and following: The slurs in the 1853 edition are inaccurate; the figuring is missing in the last 3 bars of the original.

No. 2. The phrasing is clearly marked throughout in the autograph copy but omitted for no reason in the 1853 edition. Words written wrongly in bar 20. In the 5th bar from the end there is no C flat in the Tenor part; it would seem that Bach, modulating into A flat, intentionally avoided chromatic progression.

Perusal of the autograph score leads to the supposition that the middle part of the chorus in da capo form was intended to be accompanied by the orchestra. With the concluding pause bar Bach began a new left-hand page of score, but strangely enough left out the instrumental portion, not only in the pause bar but in all the following bars until the da capo sign. Had he intended the orchestra to remain tacet he would have notified it, but the fact that this middle section is left blank and the obviously extreme hurry in which this portion is written proves that Bach, for some reason or other, had no time to fill in the missing parts. Happily the music does not suffer polyphonically.

No. 3. Many phrasing marks are missing in the 1853 edition, amongst others in the 2nd and 3rd bars of the 2nd Violins; the figuring is omitted in bar 4.

No. 4. Ties and slurs in the 1853 edition are written incorrectly and at random. Grace notes and embellishments in brackets are not found in the score, but only in the separate parts; this applies also to the following Aria. Mistakes occur in the 1853 edition in bars 5 (Oboe,

3 crotchets), 8 (tr. missing in Bass), 9 (A, instead of A flat, in crotchet of Bass), 13 (Oboe, crotchet), 27 (ditto), 29 (double tail in suspension; figuring), 30 (2 and 3 crotchets should be a minim), 35 (Oboe, 4 crotchets), 37 (Oboe, last semi-quaver).
Bars 16 and 17 of this Aria remain a puzzle. The 1853 edition reproduces them exactly as in the original:

Bach can not have intended it thus. In bar 17 false relation occurs; moreover it is unlikely that the voice part should finish before the Oboe, especially in an interrupted cadence. In the present edition I have tried to solve the problem, but my solution is in no way binding.

No. 5. Ties, clearly marked in the autograph score are often missing in the 1853 edition. In the 9th bar the original reads "Jesu" instead of "Christo". In bar 23, 1st half the autograph score is corrected showing that Bach meant G, C instead of G, F, G, C. The last semi-quaver in the last bar but one of the 1st Violins is written G by mistake.

No. 6. Ties and slurs again inaccurate in the 1853 edition. In bar 26 the contradiction to the accidental is missing in the Tenor part, both in the 1853 edition and the original. In the 1853 edition the last crotchet is a wrong note on the 1st bar after the repeat sign. The sign + is made in the 16th bar of the Tenor part, which, presumably, is to be taken for a mordent and not a real trill.

No. 7. The upper instrumental part is not specified in the autograph score. Pauses are missing throughout.

Arnold Schering

J. S. BACH, KANTATE No. 12.

Die Jubilatekantate „Weinen, Klagen" entstammt aller Wahrscheinlichkeit nach Bachs erster Leipziger Zeit. Phil. Spitta (J. S. Bach, II, 234) setzt sie in das Jahr 1724, läßt aber die Frage offen, ob nicht eine ältere, vielleicht noch in die Weimarer Zeit zurückreichende Komposition als Grundlage gedient hat. In der Tat haben die Sologesangsformen noch nicht die ins Weite zielende Schwungkraft der späteren Bachschen Ariengebilde, und auch andere stilistische Eigentümlichkeiten deuten auf Zusammenhänge mit älteren Schöpfungen. Der Dichter ist unbekannt; vielleicht war es Salomo Franck, den Bach in Weimar bevorzugte.

Das Evangelium des Jubilatesonntags (Joh. 16, 16ff.) enthält eine der Abschiedsreden Jesu an seine Jünger. Der Dichter knüpfte an Vers 20 an: „Ihr aber werdet traurig sein, doch eure Traurigkeit soll in Freude verkehret werden . . ." Dementsprechend ringt sich die Musik der Kantate aus tiefer Hoffnungslosigkeit zu ruhiger Gefaßtheit durch. Das einleitende Instrumentalstück, dem die geteilten Violen satten Vollklang verleihen, ist als unmittelbarer Prolog zum folgenden Chore gedacht. Zu unablässigen Seufzern der Violinen läßt die Oboe einen Klagegesang ertönen. Sein unruhiger, die äußersten Grenzen des Instruments streifender Tonzug malt den Zustand eines ganz aus der Fassung geratenen Gemüts. Der Chor setzt diese Klage fort, ruhiger zwar, doch nicht minder eindringlich. Zwölfmal erhebt sich das chromatisch absteigende Thema im Baß, denn zwölf Jünger waren es, die Jesum begleiteten; zwölfmal singen die Stimmen, verstreut einsetzend, zu diesem leblosen Grundbaß ihre gedehnten, schluchzenden, fortwährend durch Vorhalte abwärts gebogenen Klagemotive. Die gleichsam des Wortes nicht mächtigen Streichinstrumente stimmen nur mit rhythmischen Schlägen bei. Man kennt diesen Satz als Vorstudie zum Crucifixus der H-Moll-Messe, nur fehlt dem letzteren der in der Kantate noch angehängte bewegtere Teil „die das Zeichen Jesu tragen". Er wird, da das Orchester schweigt, nach dem Vorbild ähnlicher Stellen von Solosängern ausgeführt zu denken sein. Das erneute Anheben des Chorteils verstärkt dann die äußere Wirkung.

Das kleine Rezitativ Nr. 2 ist bemerkenswert durch die aufsteigende C Dur-Tonleiter der 1. Violine als Symbol des Sicherhebens aus Traurigkeit zu lichteren Höhen, was die Singstimme in den letzten Takten auch ihrerseits zum Ausdruck bringt. Die Alt-Arie Nr. 3 führt wieder die konzertierende Oboe ein, jetzt aber mit zuversichtlicheren Wendungen, die wohl symbolisch auf Kreuz und Krone deuten. In krausen Figuren, ohne sich viel beim einzelnen Worte aufzuhalten, deklamiert die Singstimme ihren Text, weniger aus tiefem Gefühl heraus, als mit einem gewissen fanatischen Eifer. Hartnäckig, wie es die Barockmusik liebte, wird während des ganzen Stückes an dem rhythmischen Motiv des Anfangs festgehalten; es hat die Bedeutung eines Kampfmotivs.

Auf diese Alt-Arie folgte ursprünglich wohl die Predigt. Man darf sich vorstellen, daß, nachdem das Evangelium ausgelegt worden, mit den ermahnenden Worten an die Gemeinde geschlossen wurde: „So folget Christo nach." Diesen Schluß griff der Textdichter für das Baßstück Nr. 5 auf, indem er den festen Willen der Versammelten, Christi Jünger zu bleiben, zum Ausdruck brachte. Auch Bach beginnt fest und zuversichtlich, nunmehr in Dur. Das aufsteigende Schreitmotiv verbindet sich zwanglos mit dem durch kanonische Führung ausgedrückten Symbol des Nachfolgens, ist aber, musikalisch betrachtet, kein gewöhnliches Schreitmotiv, sondern aus der ersten Melodiezeile des die Kantate schließenden Kirchenlieds „Was Gott tut, das ist wohlgetan" entwickelt. Bachs tiefsinnige Gedankenverbindung war also: ich folge Christo nach in der Überzeugung, daß alles, was Gott tut, wohlgetan ist. Der Text selbst wird unverhältnismäßig schnell erledigt, doch verfehlt Bach nicht, Worte, auf die es ankommt, musikalisch hervorzuheben: das Ausruhen auf „Wohl" mit der tänzelnden Begleitung, das „Ungemach", das bewegliche „Leben" gegenüber dem schlaffen „Erblassen" und das „küsse" im zweiten Teile. Auch der meisterliche Zug, bei den Worten „Sein Kreuz umfassen" das kanonische Folgemotiv zu wiederholen — die Nachfolge soll sich bis auf Marter und Tod erstrecken! — bleibe nicht unberücksichtigt.

War für diese Arie inniger Geigenklang bezeichnend, so gibt der nächsten Tenor-Arie Nr. 6 die Trompete erhöhten Glanz. Freundliche, wiegende Figuren der einleitenden Orgel deuten des Christen Seligkeitsstimmung an. Daß solche freilich im Irdischen immer nur angestrebt und ersehnt, niemals ganz errungen werden kann, sagt der Solist mit seinen selbst im hoffnungsvoll beginnenden zweiten Teile nicht völlig aus freier Seele kommenden Wendungen. Wie stark empfand Bach die wahre Größe irdischer Pein, die den Worten des Dichters nach doch nur „ein Kleines" sein soll, indem er dieses Wort mit schweren, herabziehenden Figuren in beiden Stimmen belud! Aber über allem steht die Gestalt Jesu, winkend, tröstend, stärkend: die Trompete bläst feierlich den Choral „Jesu, meine Freude" hinein und hebt damit das erschütternde Bild des zwischen Ungewißheit und Hoffnung schwankenden Sünders in das Licht überirdischer Verklärung. Die letzte Strophe von Sam. Rodigasts Kreuz- und Trostlied schließt, die Lichtfunken der vorhergehenden Arie in der instrumentalen Oberstimme weiter glühen lassend, die Kantate maßvoll und groß.

Die vorliegende Ausgabe geht auf die erste Veröffentlichung der Kantate im 2. Bande der großen Bachausgabe (1853) zurück. Ein erneuter Vergleich mit den in der Preußischen Staatsbibliothek in Berlin befindlichen Originalen (Partiturautograph und Stimmen) ergab die Notwendigkeit folgender Korrekturen.

Die Originale bestehen aus der autographen Partitur, den vier Singstimmen (zum Teil autograph) und einer unbezifferten, in g-Moll stehenden Continuostimme.

No. 1. Takt 7: viertletztes Sechzehntel der Oboe nicht d, sondern des; die Bezifferung des letzten Taktviertels ist eigenmächtige Zutat des Herausgebers M. Hauptmann. Takt 8: II. Violine, 8. Sechzehntel nicht c, sondern d. Beim dritten Viertel des Continuo setzt Bach über die 6 noch eine 8. Takt 12 ff. Die Bögen in B.-A. ungenau; die Bezifferung in den letzten 3 Takten fehlt in den Originalen.

No. 2. Das Autograph setzt überall deutliche Bindebögen, die in der B.-A. ohne Begründung weggelassen sind. In Takt 20 falsche Textunterlegung. Im fünftletzten Takte des Tenors findet sich nirgends ein ces; es scheint, daß Bach hier, wo die Modulation nach as zielt, die chromatische Führung absichtlich vermieden hat.

Die Einsicht in die autographe Partitur läßt die Vermutung aufkommen, daß auch dieser mittlere Teil des in da capo-Form gehaltenen Chors von Instrumenten begleitet worden ist. Mit dem Fermaten-Schlußtakt begann Bach eine neue (linke) Partiturseite. Er läßt aber merkwürdigerweise sowohl diesen Schlußtakt (!) wie auch alle folgenden Takte bis zum da capo in den Instrumenten leer. Hätte er Pausieren gewünscht, so würde er eine darauf bezügliche Andeutung gemacht haben. Die Blankosysteme aber und die steigende Eile, mit der dieser Mittelteil niedergeschrieben ist, beweisen, daß Bach aus irgend einem Grunde keine Zeit mehr fand, die fehlenden Instrumentalstimmen nachzutragen. Zum Glück läßt die Polyphonie des Satzes sie nicht vermissen;

nur in den letzten 10 Takten scheinen sie selbständiger geführt gewesen zu sein.

No. 3. In der B.-A. fehlen mehrere Bindebögen, u. a. vom 2. zum 3. Takte der II. Violine, auch ist die Bezifferung im 4. Takte weggelassen.

No. 4. Die Bindebögen in der B.-A. ungenau und willkürlich. Die eingeklammerten Verzierungen befinden sich hier wie in den folgenden Arien nicht in der Partitur, sondern nur in den Separatstimmen. Fehler finden sich in der B.-A. in den Takten 5 (Oboe, 3. Viertel), 8 (fehlt tr. im Baß), 9 (1. Viertel im Baß nicht as, sondern a), 13 (Oboe, 3. Viertel), 22 (ebenso), 29 (Vorhalt doppelt geschwänzt; Bezifferung), 30 (2. und 3. Viertel, muß Halbe sein), 35 (Oboe, 4. Viertel), 37 (Oboe, letztes Sechzehntel). Rätselhaft bleiben in dieser Arie die Takte 16, 17, welche die B.-A. genau nach dem Original wiedergibt:

Bach kann dies nicht gemeint haben. In Takt 17 ergeben sich unmögliche Verbindungen; auch ist unwahrscheinlich, daß die Singstimme hier früher als die Oboe, noch dazu mit Trugschluß, geschlossen haben sollte. Ich habe in der vorliegenden Ausgabe einen unverbindlichen Ausweg gesucht.

No. 5. Die im Autograph genau gesetzten Bögen fehlen in B.-A. häufig. Im 9. Takt haben die Originale statt Christo „Jesu". In Takt 23, erste Hälfte, eine nicht zweifelsfreie Korrektur im Autograph, nach welcher Bach statt g f g c vielleicht ein punktiertes Viertel g mit folgendem Achtel c beabsichtigt hat; diese Fassung zeigt auch die separate Baßstimme. Das letzte Sechzehntel im vorletzten Takt der I. Violine bei Bach versehentlich g.

No. 6. Die Bögen in B.-A. wieder ungenau. In Takt 26 fehlt (auch im Autograph) das Auflösungszeichen im Tenor. Im 1. Takt nach dem Wiederholungszeichen hat die B.-A. falsche Noten im letzten Viertel. Der tr. im darauffolgenden 13. Takt fehlt in sämtlichen Vorlagen; im 16. Takte (Tenor) steht nur in der Stimme ein +, was wohl nicht als wirklicher tr., sondern als Mordent aufzufassen ist.

No. 7. Die instrumentale Oberstimme im Autograph ohne Instrumentenbezeichnung. Fermaten fehlen durchweg.

Arnold Schering

REVISIONSBERICHT

Zur Überprüfung des Textes wurden die im Besitz der Staatsbibliothek Berlin (Preußischer Kulturbesitz, Musikabteilung) befindlichen Originalquellen herangezogen: *Mus. ms. Bach P 44* (Originalpartitur, Bach autogr.), *Mus. ms. Bach St 109* (6 Originalstimmen, z.T. Bach autogr.: 4 Vokalstimmen, 1 zusätzliche Tenorstimme mit Arie Nr. 6, 1 unbezifferte Continuostimme). Der Staatsbibliothek Berlin sei für Überlassung der Quellenkopien und die Erlaubnis zu deren Auswertung verbindlichst gedankt.

1. Sinfonia

Die paarige Phrasierung in den Violen ist nur im 1. Takt der Originalpartitur angedeutet. Sie ist in den folgenden Takten 2–14 entsprechend anzuwenden.

2. Chor

Die Tempoangaben der Takte 49 und 83 fehlen in der Originalpartitur, sind jedoch in *St. 109* z.T. autograph nachgetragen.

Takt 49–92: Der Mittelabschnitt des Satzes enthält nach *P 44* keine Instrumentalbegleitung, wohl aber die entsprechenden 5 Leersysteme ohne Noten- und Pauseneintrag. Bach hatte demnach einen Instrumentalsatz vorgesehen, für den leider keine Anhaltspunkte mehr vorhanden sind. Zumindest könnte man das Orchester colla parte am Chorsatz beteiligen.

4. Arie (Alt)

In Takt 17 (4. Viertel) bis 18 (1. Viertel) ist zwischen Oboe und Alt offensichtlich eine Kanonbildung beabsichtigt. Jedoch sind die beiden Stimmen vertauscht und ihre Einsatzfolge zu dicht gelegt, was klanglich wie formal zu einem für Bach kaum denkbaren Kadenzschluß führt. Obwohl nur diese Lesart – dazu autograph und unkorrigiert! – überliefert ist, wurde hier in Anlehnung an die Scheringsche Verbesserung von 1926 eine Bereinigung dieser ungeklärten Stelle versucht.

5. Arie (Baß)

Takt 23, Continuo 1.–2. Viertel: Die Originalpartitur enthält beide Lesarten gleichzeitig, *St 109* überliefert nur die punktierte Tonfolge.

Takt 39, Violine I letzte Note: Die Originalpartitur liest g^1, sicherlich Schreibfehler für es^1.

6. Arie (Tenor)

Takt 26, Tenor 8. Note: In allen Quellen ausdrücklich es^1 ohne Auflösungszeichen, – ein sicher beabsichtigter Querstand.

Takt 63, Continuo 2. Note: *St 109* überliefert *B*, die Lesart von *P 44* wird beibehalten.

7. Choral

Die obligate Überstimme trägt keine Instrument-Bezeichnung, die sonst üblichen Zeilenschluß-Fermaten fehlen in allen Stimmen.

Paul Horn

JOH. SEB. BACH - CANTATA No. 12
Weinen, Klagen, Sorgen, Zagen

(1724)

Libretto by Franck (?)
For the third Sunday after Easter

Epistle, I Peter II, 11-20
Be obedient, patient in suffering, and law abiding

Gospel, John XVI, 16-23. Ye shall weep and lament, but your sorrow shall be turned into joy

(Fagotte, Trumpet, Oboe, 2 Violins, 2 Violas, Bass, and Continuo)

The following English translation of the Cantata has been made by Henry S. Drinker

1. Sinfonia 4/4 (f) *(Instr. as above)*

2. Chorus 3/2 (f) (See Crucifixus of Mass in b)
(2 Va., Fag., Vns.)

Wei - nen, *Kla* - gen, *Sor* - gen,. *Za* - gen,
Wee - ping, cry - ing, sor - row, sigh - ing,

(Angst und Not), sind der Chri - sten
an - xious care, these the Chri - stian's

Trä - nen - brot, ((die (das Zei - chen).
bread of tears, these the sym- bols

Je - su) *tra* - gen.
Je - sus car - ried.

3. Recitativo Alto *(2 Va., Fag., Vns.)*

Acts XIV, 22: "We must through much tribulation enter into the Kingdom of God."

Wir müs - sen (durch viel *Trüb* - sal)
Thru paths of tri - bu - la - tion

in das Reich Got - tes ein - ge - hen.
must mor - tals en - ter God's King - dom.

4. Aria Alto 4/4 (c) *(Oboe)*

Kreuz und Kro - ne sind ver - bun - den,
Cross and Crown are bound to - ge - ther,

(Kampf und Klein - od) sind ver - eint.
Palm and war to - ge - ther go.
Palm and bat - tle

Chri - sten ha - ben al - le Stun - den
Chri - stians must en - dure pri - va - tion,

ih - re Qual und ih - ren *Feind,*
con - quer care and fight the foe;

doch ihr Trost sind (Chri - sti Wun - den).
Je - sus' death was sure sal - va - tion.

5. Aria Bass 4/4 (E^b) *(Violine)*

Ich fol - ge Chri - sto *nach,* von ihm will
With Je - sus will I go, nor suf - fer

ich nicht *las* - sen im *Wohl* und Un - ge -
Him to leave me, thru life, in weal and

mach, im Le - ben und Er - blas - sen.
woe, un - til the grave re - ceive me.

(Ich küs - se) Chri - sti Schmach,
To Je - sus' Cross I cleave,

ich will sein Kreuz um - fas - sen.
from Him will naught di - vide me.

bars 34–36:
Ich fol - ge Chri - sto nach,
Him will I nev - er leave,

von ihm will ich nicht las - sen.
but keep Him close be - side me.

6. Aria Tenor 3/4 (g) *(Tr.)*

Sei ge - treu, sei ge - *treu,* al - le Pein,
Be ye true, be ye true, all your Pain,

al - le Pein (wird doch nur ein Klei - nes)
all your Pain, pas - ses by like sum - mer

sein. Nach dem *Re* - gen (blüht der *Se* - gen),
rain. Af - ter sho - wers come the flo - wers,

(al - les *Wet* - ter) geht vor *bei.*
stor - my wea - ther clears a - gain.

7. Chorale 4/4 (B^b)
(Ob. or Tr.; Vn. I with Sop.; Vn. II with Alto; Va. with Ten.; Cont. and Fag. with Bass)

Was Gott tut, das ist wohl - ge - tan,
What God does is with rea - son done,

da - bei will ich ver - blei - ben, es mag
this truth will not for - sake me, al - tho'

mich auf die rau - he Bahn Not, Tod und
His will by thor - ny paths thru toil and

E - lend trei - ben, so wird Gott mich
trou - ble take me. My Fa - ther, He

ganz vä - ter - lich in sei - nen Ar - men hal - ten;
will care for me, se - cure will He pro - tect me;

drum lass ich ihn nur wal - ten.
Him would I have di - rect me.

Weinen, Klagen, Sorgen, Zagen
(Dominica Jubilate)

1. Sinfonia

Johann Sebastian Bach
1685–1750

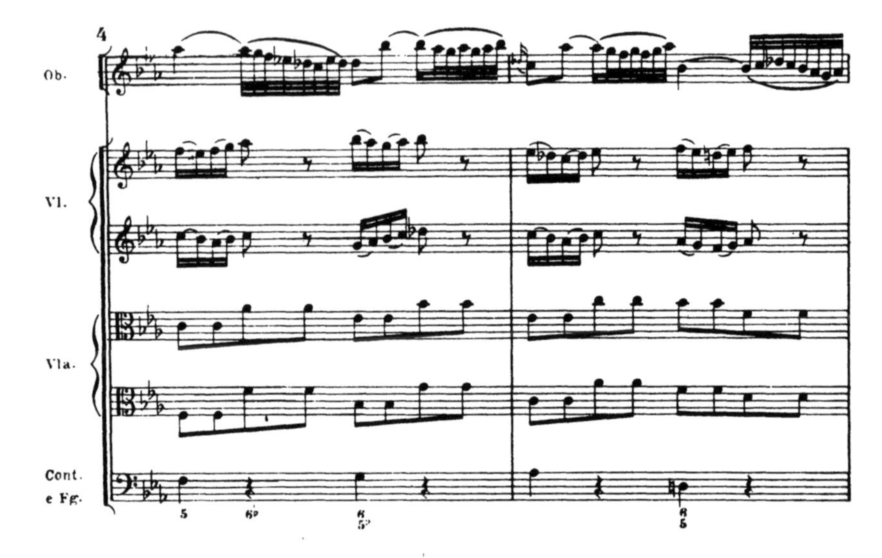
4
Ob.
Vl.
Vla.
Cont.
e Fg.

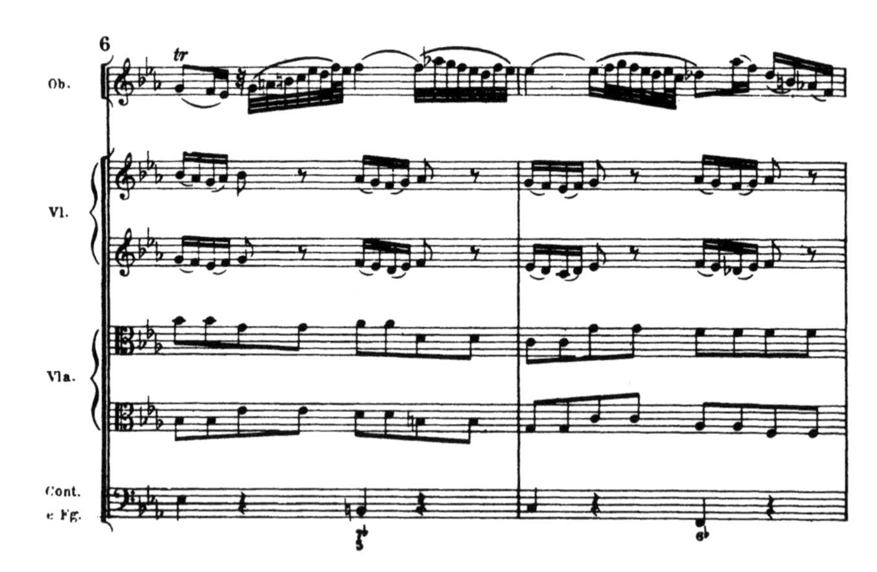
6
tr
Ob.
Vl.
Vla.
Cont.
e Fg.

8
Ob.
Vl.
Vla.
Cont.
e Fg.

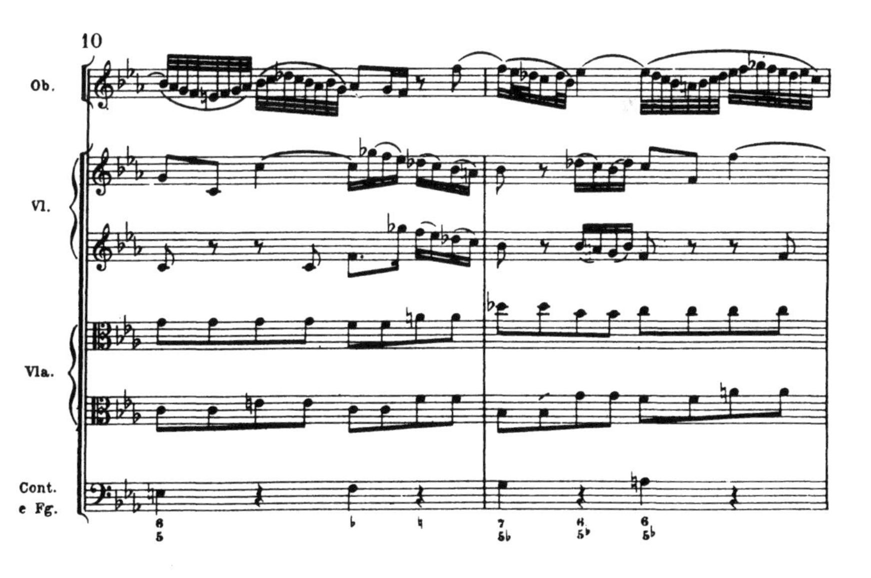
10
Ob.
Vl.
Vla.
Cont.
e Fg.

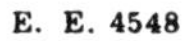

12
Ob.
Vl.
Vla.
Cont.
e Fg.

14
16
tr
tr
Ob.
Vl.
Vla.
Cont.
e Fg.

2. Coro

Lente
Violino I
Violino II
Viola I
Viola II
Fagotto
Soprano
Alto
Tenore
Basso
Continuo
3
5
Wei - nen, Kla -
Kla - gen,
Sor - gen, Wei - nen,
Za - gen,
7
9
11
Vl.
Vla.
Fg.
S.
A.
T.
B.
Cont.
- gen, Wei-nen, Kla - gen, Sor - gen, Za - gen,
Za - gen, Wei-nen, Kla - gen, Sor -
Wei-nen,
Sor - gen, Wei-nen, Kla - gen,

6
13
15
17
Vl.
Vla.
Fg.
S.
A.
T.
B.
Cont.
Wei-nen, Klagen, Wei - - nen,
- gen, Za-gen, Wei - - nen, Kla -
Kla - - - - gen,
tr
Sor-gen, Za -
19
21
23
Wei-nen, Kla - gen, Sor - gen, Za - - -
gen, Sorgen, Za - - gen, Sorgen, Za -
tr
Wei - - nen, Kla - - - gen, Sor gen, Za -
gen, Wei - nen, Kla - gen, Sor gen, Za -
E. E. 4548

25
27
29
Vl.
Vla.
Fg.
S.
gen, Angst und Not, Angst und Not
sind der Christen
A.
gen, Angst und Not, Angst und Not, Angst und Not
sind der Christen
T.
gen, Angst und Not, Angst und Not, Angst und Not
sind der Christen
B.
gen, Angst und Not, Angst und Not, Angst und Not
sind der Christen
Cont.
31
33
35
Tränen - brot,
Angst und Not, Angst und Not, Angst und
Trä - nen - brot,
Angst und Not
Trä - nen - brot,
Angst und
Trä - nen - brot,
Angst

Vl.
Vla.
Fg.
S.
A.
T.
B.
Cont.
Not, Angst und Not sind der Chri - sten
Angst und Not, Angst und Not sind der
Not, Angst und Not
und Not, Angst, Angst und Not
Trä - nen-brot, sind der Christen Trä - nen-brot,
Chri - sten Trä - nen - brot,
sind der Chri - sten Trä - nen - brot,
sind der Christen Trä-nen - brot,

48
49
Un poco Allegro
51
Vl.
Vla.
Fg.
S.
die das Zei - chen Je - su tra - -
A.
die das Zei - chen Je - su
T.
die das Zei - chen Je - su
B.
die das Zei - chen Je - su
Cont.

53
55
57
S.
- - - - - gen, die das Zei - chen
A.
tra - - - - - - - - - -
T.
tr
tra - - - - - - - - - -
B.
tra - - - - - - - - - -
Cont.

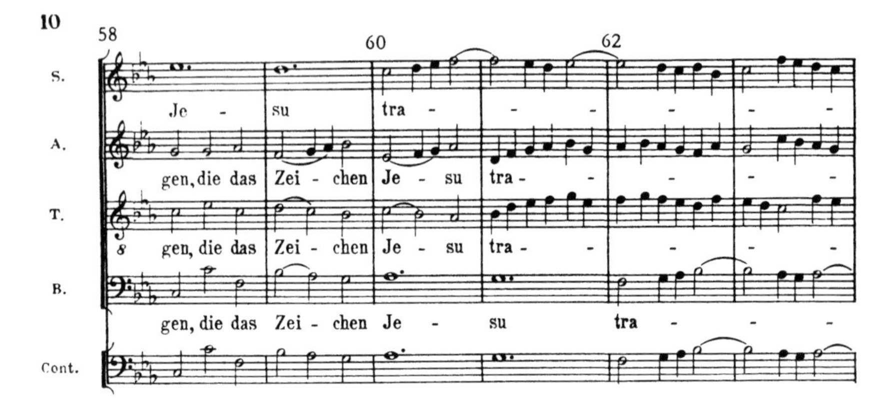
58
60
62
S.
Je - su tra - - - - - -
A.
gen, die das Zei - chen Je - su tra - - - -
T.
gen, die das Zei - chen Je - su tra - - - -
B.
gen, die das Zei - chen Je - su tra - - -
Cont.

64
66
68
S.
A.
gen, die das Zei - chen Je - su
T.
gen, die das Zei - chen Je - su
B.
Cont.

69
71
73
S.
gen, das Zei - chen Je - su tra-gen, die das Zei - chen Je - su
A.
tra - - gen, die das Zei - chen Je - su
T.
tra - - gen, die das Zei - chen Je - su
B.
- - - gen, die das Zei - chen Je - su tra -
Cont.

S.
A.
T.
B.
Cont.
tra -
tra -
tra -

Andante
S.
A.
T.
B.
Cont.
- gen, das Zei - chen Je - su tra - gen, die das
- gen, das Zei - chen Je - su tra - gen, die das Zei - chen
- gen, das Zei - chen Je - su tra - gen, die das Zei - chen Je -
- gen, das Zei - chen Je - su tra - gen, die das Zei - chen Je - su,

S.
A.
T.
B.
Cont.
Zei - chen Je - su tra - gen.
Je - su, die das Zei - chen, das Zei - chen Je - su tra - gen.
su, die das Zei - chen Je - su, das Zei - chen Je - su tra - gen.
die das Zei - chen Je - su tra - gen.
Da Capo (Pag. 5)

3. Recitativo

4. Aria

Oboe
Alto
Continuo
Ob.
Cont.
A.
Kreuz und Kro-ne sind_ ver-bun-den, Kampf_ und Klein-od_ sind_ ver-
eint, Kreuz und Kro-ne_ sind_ ver-bun-

11
Ob.
A.
den, Kampf und Klein-od sind ver-eint,_ Kreuz und Kro-ne
Cont.

13
Ob.
A.
sind ver-bun - den, Kampf und_ Klein-od sind ver-eint, Kampf und Klein-od sind ver-
Cont.

15
Ob.
A.
eint, Kampf und Klein-od,
Cont.

17
Ob.
A.
Kampf und Klein-od_sind ver - eint.
Cont.

19
Ob.
Cont.

21
Ob.
Cont.
tr

23
Ob.
A.
Cont.
Chri - sten_ ha - ben al - le

25
Ob.
A.
Cont.
Stun-den ih - re Qual und_ ih - ren Feind,

27
Ob.
A.
Cont.
tr
Chri-sten ha - ben al - le Stun-den ih - re Qual und ih-ren

29
Ob.
A.
Cont.
Feind, ih - re Qual und ih - ren Feind;
4 3
6 4

31
Ob.
A.
Cont.
doch ihr Trost sind Chri-sti

33
A.
Cont.
Wun-den. Kreuz und Kro-ne sind ver - bun-den, Kampf und Klein-od sind ver-

35
Ob.
A.
Cont.
eint,
doch ihr Trost sind Chri-sti

37
Ob.
A.
Cont.
Wun - - - den, Chri-sti Wun - den.

Da Capo

5. Aria

Violino I
Violino II
Basso
Continuo
3
4
Vl.
B.
Cont.
6
Ich fol-ge Chri-sto nach, von
7
9
ihm will ich nicht las - - - - - - - sen, ich fol-ge Christo

10
12
Vl.
B.
nach, von ihm will ich nicht lassen
Cont.

13
15
Vl.
B.
im _ Wohl, ___
Cont.

16
18
Vl.
B.
tr
_ im Wohl und Un - ge - mach, im Le - ben und Er-blassen, im
Cont.

19
21
Vl.
B.
tr
Wohl und Un - ge - mach, im Le - ben und Erblas - sen.
Cont.

22
24
Vl.
Cont.

25
27
Vl.
B.
Ich küs - se, ich küs - se Chri - sti
Cont.

28
30
Vl.
B.
Cont.
Schmach, ich will sein Kreuz um - fas-sen, ich küs - se, ich küs - se

31
33
Vl.
B.
Cont.
Chri - sti Schmach, ich will sein Kreuz um-fas - - - - - -

34
36
Vl.
B.
Cont.
- - sen. Ich fol-ge Chri-sto nach, von ihm will ich nicht las - sen.

37
39
Vl.
Cont.

6. Aria

Tromba
Tenore
Continuo
Tba.
T.
Cont.
Sei ge - treu, sei ge - treu,
al - le Pein,
al - le Pein
wird doch nur ein
Klei - nes sein, al - le Pein, al -

26/55
28/57
Tba.
T.
Cont.
le Pein wird doch nur ein
30/59
32/61
1.
Klei
6 6
34
1.
36
nes, wird doch nur ein Klei - nes sein. Sei ge-
62
2.
64
nes sein. Nach dem Re - gen blüht
66
68
der Se - gen, nach dem Re - gen blüht der

70
72
T.
Se - - - - - - - - - - - -gen, blüht der Se -
Cont.

74
76
Tba.
T.
gen, al - - - - - - - les Wet - - - - - -
Cont.
6

77
79
Tba.
T.
- ter geht vor - bei,
Cont.

81
83
85
Tba.
T.
al - - les Wetter, al - les Wet - ter geht vor - bei. Sei ge -
Cont.

86
88
60
90
Tba.
T.
treu, sei ge - treu.
Cont.

91
93
95
Cont.

7. Choral

Oboe (o Tromba)
Soprano
Violino I col Soprano
Alto
Violino II coll' Alto
Tenore
Viole col Tenore
Basso
Continuo e Fagotto
Was Gott tut, das ist wohl - ge - tan, da -
Es mag mich auf die rau - he Bahn Not,
bei will ich ver - blei - ben,
Tod und E - lend trei - ben,
so wird Gott mich ganz vä - ter - lich in
sei - nen Ar - men hal - ten: drum laß ich ihn nur wal - ten.
Ob.
S.
A.
T.
B.
Cont. e Fag.
tr